Ach, zou die school er nog wel zijn?

EEN EEUW IN DE BANKEN

Ach, zou die school er nog wel zijn?

EEN EEUW IN DE BANKEN

SCRIPTUM

Woord vooraf

Ach, zou die school er nog wel zijn,
kastanjebomen op het plein,
de zware deur,
platen van ridders met een kruis
en van Goejanverwellesluis,
geheel in kleur.

Dit is het begin van het lied 'De oude school', geschreven door Willem Wilmink en gezongen door Don Quishocking. Het is een prachtig lied, waarin vol nostalgie wordt teruggekeken op de lagereschooltijd.

Zo kijk ik er zelf niet op terug. Ik bezocht de lagere school in de jaren zestig en vond het eerlijk gezegd een vreselijke tijd. De juffen kattig, de meesters driftig en bijna niemand die het wat kon schelen hoe je je voelde. Je moest veel te veel en er was weinig ruimte voor fantasie en creativiteit.

Op de middelbare school was dat allemaal voorbij. Lang leve de jaren zeventig!

Voor het schrijven van de teksten vroeg ik de mensen om mij heen naar hun schoolherinneringen. Die bleken gelukkig niet allemaal negatief te zijn.

Wat me opviel was dat iedereen in eerste instantie zei: ik weet niet veel meer van mijn schooltijd. Maar als ik dan vroeg: hadden jullie ook slaginstrumentjes bij muziek, gymde jij ook op blote voeten of herinner je je nog die haak waarmee de aardrijkskundekaart werd opgehangen, dan zeiden ze: o ja, zo was dat en kwam de herinneringenstroom op gang. Ik hoop dat het de lezer bij het bladeren in dit boek ook zo vergaat.

MARTINE VAN ROOIJEN

De kakschool

Je moest slofjes aan en je speelde met de water- of de zandtafel. Soms zat daar gekleurd zand in en kon je een heel wegennet maken. Van stroken gekleurd papier maakte je muizentrapjes, je vlocht matjes, prikte plaatjes uit en van krantenpapier vouwde je bootjes en hoedjes.

Je werkte met schaartjes met afgeronde punten en lijmkwastjes uit het blok.

Als je een schaartje pakte, moest je de punt in je knuist houden. En met verven had je een oud overhemd van je vader – achterstevoren – aan.

De kleuterschool, voor de één een onbezorgde tijd, je hoefde nog niets, voor de ander een tijd vol zorgen, want alles was zo anders dan thuis. Je durfde niet naar de wc te gaan en voor je het wist had je in je broek geplast. Voor een derde was het saai. Wanneer leerde je nou eens iets?

Lang niet alle kinderen gingen naar de kleuterschool. Of zoals het vroeger heette de bewaarschool, de fröbelschool of denigrerend de kakschool.

Dat hoefde ook nog niet. Pas in 1985, toen de kleuterschool werd samengevoegd met de lagere school tot basisschool – en daarmee de kleuterschool als zelfstandig schooltype verdween – werd de leerplicht vervroegd naar vijf jaar. Voor die tijd was dat zes. Tegenwoordig is het vier.

Meer dan alleen opbergen

Het Nederlands is een van de weinige talen die een eigen woord – namelijk kleuter – hebben voor kinderen van vier tot zes. De Fransen zeggen 'petit enfant', de Engelsen 'young child' of 'preschooler' en de Duitsers 'Kind im Vorschulalter'.

Of in Nederland het kleuteronderwijs dan ook meer aandacht heeft gekregen, is de vraag. De bekende pedagogen kwamen uit Italië en Duitsland, maar hun pedagogiek sloeg in Nederland wel snel aan.

In het midden van de negentiende eeuw ontstaan de bewaarscholen. Daarvoor had je de matressenschooltjes, waar niemand – niet in die tijd en ook later niet – een goed woord voor over had. De onderwijzeressen waren slecht en de ruimtes in kelders en op zolders onhygiënisch. Met de bewaarscholen ontstaat het besef dat je met kleuters meer kan doen dan ze alleen opbergen. Je kunt ze iets bijbrengen in gebouwen die daarvoor geschikt zijn.

Op de foto een schooltje in de Jordaan, 1912.

Fröbel

De eerste die kleuters als een aparte groep zag en daar materiaal voor ontwikkelde, was de Duits opvoedkundige Friedrich Fröbel (1782-1852). Hij stichtte in 1840 een school speciaal voor vier- tot zesjarigen, die hij Kindergarten noemde. Kinderen waren als een plant. Je moest ze koesteren en leiden, anders kreeg je wildgroei.

Fröbel wilde kleuters kennis laten maken met abstracte structuren, bijvoorbeeld door het vouwen van papier. Vormen als de bol, de kubus en de cilinder zouden de ontwikkeling van het kind stimuleren. Een idee dat resulteerde in de eerste blokkendozen.

Door blokken bouwen, vlechtoefeningen, stokjes leggen, mozaïekfiguren maken, prikken, werken met klei en vrij tekenen wilde hij de kinderen gevoel voor ritme, regelmaat en orde bijbrengen. Ook bedacht hij zelf liedjes die gemakkelijk in het gehoor lagen en pasten bij het ritmisch gevoel van kleuters.

Met zijn opvattingen heeft Fröbel een grote invloed op het kleuteronderwijs gehad. Al in 1867 kwam er in Leiden een nieuwe opleiding voor bewaarschoolhoudsters, waarin de methodiek van Fröbel centraal stond. En in 1920 werkte een groot deel van de bewaarscholen naar zijn ideeën.

1940

Zestig kleuters in een klas

Een kleuterjuf die in de jaren vijftig begon, vertelt:
'In de beginjaren was je vooral kinderverzorgster. Je poetste neusjes en hees broekjes op, want in die tijd konden de kinderen eigenlijk nog niets zelf.

We hadden een lokaal met stoeltjes en tafeltjes. Er was geen plek om te spelen, dus af en toe liet ik de kinderen in de gang onder de kapstokken dansen.

Pas in 1956 kwam er een kleuteronderwijswet. Vanaf toen veranderde de kleuterklas in snel tempo. Als er een schooltje werd gebouwd, moest er een speelzaal bij. En het maximale aantal kleuters per klas werd veertig. Daarvóór had ik er soms wel zestig.

Ook het materiaal veranderde. Je kreeg de poppenhoek, de bouwhoek en de zand- en watertafel. Tot de jaren zestig werkten we alleen met de materialen van Fröbel. We noemden dat de gaven. Je had een doos met kubussen, halve kubussen en ronde vormen en een doos met het mozaïek.

De eerste gave was een houten doos met zachte ballen in elementaire kleuren. Je leerde de kleuters: welke kleur is dit? En: wat is hard en zacht? Dat zegt wel iets over wat een kind toen wist. Nu leren ze al zoveel thuis. Met vier jaar kunnen sommigen al lezen.'

Dit kleuterschooltje zit op de bovenste verdieping van een torenflat aan de Schoutendreef in Den Haag, 1961. 'In zo'n moderne wijk (Vrederust) is nauwelijks een speelplek voor kinderen,' klaagden de ouders. Er moest dus snel een kleuterschool komen.
De watertafel is gemaakt van de binnenband van een vrachtwagen.

Naar school

'Moeders in Barneveld die niet in de gelegenheid zijn hun kinderen naar de kleuterschool te brengen, behoeven niet ongerust te zijn: voor een paar dubbeltjes in de week worden de kleineren door enige jongedames veilig naar school gebracht en na afloop van de schooltijd weer naar huis gebracht.'

1941

De bewaarschool was een belangrijk werkterrein voor vrouwelijke religieuzen. Meer dan de helft van alle bewaarscholen was katholiek.
Op de foto uit 1955 bidden kinderen voor de zieke paus Pius XII.

'Zwaan-kleef-aan is het devies van deze twee kleuterleidsters die hun klas laten oversteken op de Apollolaan te Amsterdam.'

{24}

1938

Kleuterschool

1977

Dat is voorbereidend leren:

met je vriendje concurreren.

Kleuters zijn al heel wat mans.

Dit is Timo, dat is Hans.

Help mij het zelf te doen!

Ook de ideeën van de Italiaanse opvoedkundige Maria Montessori (1870-1952) hebben een grote invloed gehad op het Nederlandse kleuteronderwijs. De oudste Montessori-kleuterschool hier dateert al uit 1914.

Maria ging ervan uit dat elk kind zich van nature wil ontwikkelen. Het onderwijs moet goed kijken naar het kind en – help mij het zelf te doen – op zijn behoefte inspelen door de juiste materialen te bieden. Een individuele benadering dus, want elk kind ontwikkelt zich in zijn eigen tempo.

Verder meende Maria dat de intellectuele ontwikkeling – waar je in de kleuterschool spelenderwijs al mee beginnen moest – via de oefening van de zintuigen gaat. Met de typische Montessorimaterialen zoals de bellentafel en de kleurspoel leerden kinderen verschillen in vorm, kleur, geluid en hoeveelheid onderscheiden. Zo ontdekte het kind de vorm van letters door met de vinger letters van schuurpapier na te trekken.

Een ander aspect was het doen van huishoudelijke werkjes. Het zijn de oefeningen voor het dagelijks leven.

Montessorischooltje, 1914.

Montessoriklas met onder andere de bellentafel, 1953.

1950

De peuterklas

Pas in 1958 kwam er een wet op het kleuteronderwijs. Daarin werd onder meer het volgende geregeld:
• Bij nieuwe gebouwen komt een speelzaal
• Kleuterscholen maken een speel- en werkplan
• Onderwijzers zijn in het bezit van een akte
• Er zitten niet meer dan veertig kinderen in een klas
• Kinderen worden pas toegelaten als ze vier jaar oud zijn.

Hiermee is de bewaarschool verleden tijd en neemt langzaam de peuterklas haar functie over. Dat leidde wel tot de discussie of een kind van onder de vier nu bij zijn moeder hoort of dat het goed is voor zijn sociale vorming om naar de peuterklas te gaan.
Hoe dan ook, in de jaren zestig en zeventig gaan meer dan 400.000 kinderen naar de kleuterschool. De officiële naam is dan: voorbereidend lager onderwijs. Op de kleuterschool wordt spelend geleerd en op de lagere school is dat afgelopen; dan wordt er alleen nog maar geleerd.

Naar de grote school

ik huil bijna
dan zegt papa:
'ik ga, 't is tijd
maar ik ben vlug
alweer terug
dag grote meid'

ik fluister 'nee'
maar ik moet mee
met juf Marleen
de lange gang
maakt me zo bang
waar gaan we heen?

daar is de klas
ik moet een plas
maar weet niet hoe
o jee, te laat
iedereen gaat
naar binnen toe

het meisje naast
me zegt verbaasd:
'heet jij katrijn?'
het ruikt hier raar
en waar, waar, waar
zou mama zijn?

'Voor de eerste maal naar de grote school. Moeders hadden bij de schooldeur grote moeite
om hun kleinen gerust te stellen.' Foto is uit 1968.

1959

Klaarovers, 1954.

Zes kubieke meter frisse lucht

Armen over elkaar! Als je niet schreef, moest je in de luisterhouding. Je mocht je vinger niet opsteken, maar je wilde zo graag een beurt dat je armen vanzelf omhoog gingen. Je zat met z'n tweeën in de schoolbank. Als de een bewoog, bewoog de ander mee. Met de klepdeksel moest je voorzichtig zijn, want als je hem liet vallen gaf dat een harde klap.

Op de foto staat een keurige klas uit 1914. Het is dan ruim honderd jaar geleden dat Vatebender, rector van de Latijnse school in Gouda, over klaslokalen schreef: 'In deze treurige spelonken wordt een menigte kinderen, rein en onrein, morsig en zindelijk, gezond en ongezond op een gestapeld, zoo, dat de gloed der ademen het ganse hol schielijk tot een broodoven van schadelijke besmetting stookt. Dan zijn er dikwijls nog stenen vloeren en vochtige wanden, binnen welke dit rommelzooitje zonder orde en tucht door elkander lacht, schreit, zingt, twist, rekent, opzegt, dat het een voorbijganger haast schrik aanjaagt.'

Geen wonder dat de schoolwet van 1878 regels vastlegde over het schoollokaal. De nieuwe eisen waren: ruimte, licht en frisse lucht. Van de laatste om precies te zijn zes kubieke meter per kind. Het moderne lokaal had zeer hoge ramen met bovenlichten die open konden klappen. Wel waren de vensterbanken hoog, want de school was om te leren en niet om naar buiten te kijken. Een andere nieuwe voorziening was de gasverlichting. Ook aan de schoolbanken werden eisen gesteld: niet meer dan twee leerlingen in de bank, die een lendensteun had.

In het begin van de twintigste eeuw is inmiddels het volgende bij wet geregeld:
- Leerkrachten moeten een opleiding volgen
- Er wordt klassikaal lesgegeven, met niet meer dan 48 leerlingen per lokaal (in 1924, in 1883 was dat nog 100)
- De verplichte vakken zijn: lezen, schrijven, rekenen, Nederlandse taal, geschiedenis, aardrijkskunde, kennis der natuur, vormleer (= meetkunde), zingen en nuttige handwerken voor meisjes. Gymnastiek is facultatief.

Bovendien werd in 1901 de leerplichtwet ingevoerd. Kinderen van zeven tot dertien jaar moesten naar school.

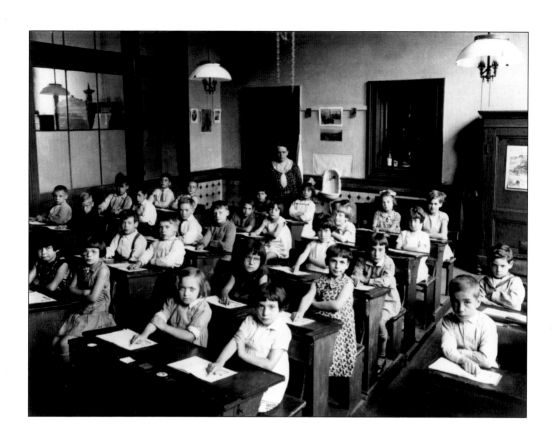

1920

1940

De meester

Horlogeketting, vest en bril –
een meester zonder voornaam.
De klas doet niets wat hij niet wil,
volmaakt gehoorzaam.

Een jongen steekt zijn vinger op.
Hij moet en mag naar achter,
maar maakt te veel lawaai.
Eén klop en hij loopt zachter.

De hele klas is in zijn ban
wanneer hij gaat vertellen.
En reken maar dat deze man
perfect kan spellen.

De licht-luchtschool

Lange tijd bleef het onderwijs ongeveer hetzelfde en voldeed het oude klaslokaal. Na de Tweede Wereldoorlog beginnen de grote veranderingen.

Er komen licht-luchtscholen. De ramen van het lokaal zijn groot, want de leerlingen mogen gerust naar buiten kijken, en ze kunnen goed open worden gezet.

Ook het klassikale lesgeven, waarbij alle leerlingen in hetzelfde tempo moeten werken, verliest zijn alleenrecht. Nu iedere leerling zijn eigen bank en stoel heeft – en die niet langer met z'n buurman deelt – kunnen ze ook op andere manieren neergezet worden. Niet in rijen, maar in niveaugroepjes bijvoorbeeld. Of in de kring, want de leerlingen moeten meer met elkaar communiceren. Of in de toetsopstelling, zodat afkijken onmogelijk is.

De jaren zeventig

Het schuiven met tafeltjes ging steeds verder. Ze konden in allerlei opstellingen staan en soms was er helemaal geen opstelling meer.

Een schoolhoofd uit de jaren zeventig geeft zijn visie op het schoolleven:
'Eigenlijk moet het leven van een kind binnen school even ongedwongen verlopen als erbuiten. Daarom gaat hier geen bel als de school begint. De deuren gaan gewoon open en de kinderen komen met veel kabaal binnen. Niet keurig in de rij. Ze zijn ook vrij om onder de les even in de gang te gaan lopen als ze daar zin in hebben. Als ik drie kwartier stilgezeten heb, wil ik ook wel eens de benen strekken.'

De leesles

Zie, een noot.
Een noot van moe.
Wil je ook een noot?

Je leerde lezen, gewoon uit een boekje en je eerste zinnetje was 'Oom eet aal' of 'Aap eet noot.'

Of je had een leesplankje. Dan leerde je aap-noot-mies, zoals de meeste kinderen tot de jaren zestig. Of aap-roos-zeef, als je op een katholieke school zat. Of geit-zeep-does, als je het leesplankje van Colenbrander had.

Maar het bekendste leesplankje was dat van de onderwijzer Hoogeveen uit Deventer. Hij ontwikkelde het in 1898. Het was een houten plankje met afbeeldingen en daaronder het woord: aap, noot, mies, wim, zus, jet, teun, vuur, gijs, lam, kees, bok, weide, does, hok, duif, schapen. Je vormde het woord met losse letters – uit het dicteerdoosje – en daarna ontleedde je het in klanken, waarmee je weer nieuwe woorden maakte: de structuurmethode.

De tekeningen waren van Cornelis Jetses (1873-1955). Er verschenen leesboekjes bij en vertelselplaten die het huiselijke leven op het platteland verbeeldden.

Ook was er een klassikale leesplank op een standaard.

Boom-roos-vis

In de jaren vijftig begon aap-noot-mies verouderd te raken. Het leven van een grote familie op het platteland – ook opa en oma woonden in – was voor kinderen van deze tijd niet meer herkenbaar.

Een tijdje was de globaalmethode populair, waarbij kinderen niet lazen met losse letters, maar met losse woorden. Ongeveer 1960 komt het onderwijs hiervan terug: op deze manier leren kinderen niet hoe woorden in elkaar zitten.

Daarom komt er opnieuw een methode waarbij hele woorden worden afgebroken en nieuwe opgebouwd. Nu met boom-roos-vis (vuur-mus-pim-koos-miep-bel-boek-raam-school). Er horen boekjes bij – met sprookjes en moderne huis-, tuin- en keukenverhalen –, werkbladen en losse letterdozen. Voor het bord hangt een groot boek.

In de jaren negentig verandert de methode in maan-roos-vis. Kabouter Pim bleek verwarrend: kinderen dachten dat Pim het woord voor kabouter was.

In de jaren zestig komen de eerste gastarbeiders naar ons land. Als ook hun kinderen hierheen komen, ontstaat de behoefte aan aparte taallessen.

Lei en griffel

Je had een griffeldoosje en een sponzendoosje. Daarin liet je voor de lol een bruine boon ontkiemen. Voor je de school in ging, moest je nog even een punt aan je griffel slijpen. Had je geen scherpe punt, dan werd de meester kwaad. Dat mocht niet aan de schoolmuur, dus deed je het ergens anders. In Hekendorp (Zuid-Holland) slepen blijkbaar alle kinderen op dezelfde plek hun griffels, want daar zitten gleuven in de kerkmuur.

In de klas hing een bord met regels voor de schooljeugd. Een ervan was: 'Gebruik geen speeksel om uw lei schoon te maken.'

Ook op de oudste foto's in dit boek gebruiken de kinderen al een kroontjespen. Maar lei en griffel zijn dan nog niet helemaal verdwenen. Ze worden bijvoorbeeld gebruikt in de eerste twee klassen om te leren schrijven. Schrijven is een van de moeilijkste bewegingen en het geknoei met pen en inkt maakte het er niet makkelijker op. Bovendien zaten er voor de oorlog vaak stukjes hout in het papier.

Op de foto staat de klas waarin de acteur Marcel Krals zit, die Merijntje Gijzen speelt in de gelijknamige film (vlak voor de meester), 1936.

schrijven

Als je links was, moest je toch rechts schrijven en je linkerhand op je rug houden. Deed je het stiekem toch met je linkerhand, omdat je dat zoveel makkelijker afging, dan liep je de kans een tik met de liniaal te krijgen.

Een aparte benadering van het probleem is de schrijfmethode Le Bon Départ van de onderwijzeres mevrouw Bugnet. Zij vond dat je kinderen zowel links als rechts moest leren schrijven. In haar werk zag ze veel gevallen van ruggengraatvergroeiing (schoolscoliosis) als gevolg van het verkrampte lichaam tijdens de schrijflessen. Bij een rechtshandig kind raakte de rechterkant overbelast en bij een linkshandig kind de linkerkant. Vandaar.

De eersteklassers van de Lagere Nutsschool in Breda leren in 1957 via deze methode schrijven, want, zegt de juf:

'Sommige leerlingen worstelen zo met pen en schrift dat het hele lichaampje verkrampt. We moeten er alles aan doen om ze te laten ontspannen, want het kind van deze tijd is overbelast, het is nerveus en leeft onder grote spanningen.'

Door oefeningen met kleine zand-
zakjes worden de spieren van
de hand lenig gemaakt, 1957.

1930

Tellen

$1 \times 8 = 8$

$2 \times 8 = 16$

$3 \times 8 = 24$

Tafels dreunde je met de hele klas. Die van 8 was het lastigst. Je ging tot de tafel van 12, tenzij je een fanatieke meester had die wel tot 16 ging. De meester zei: 'Als ik jullie 's nachts wakker maak en vraag: hoeveel is 8 x 6, moet je meteen kunnen zeggen: 48.'

Maar eerst leerde je tellen met een telraam. Van 1 tot 10: 1 balletje + 1 balletje = 2 balletjes en later kon je dan in een keer de tientallen opzij schuiven.

Je had rekenen, cijferen en hoofdrekenen. Als je verder gevorderd was, stond er op het bord – dat was bij cijferen – de vormsom. 4037 x 4037 – 3045 x 3045 met een grote streep eronder (dus gedeeld door:) 4037 + 3045.

En dan had je nog de redeneersommen. Piet gaat van a naar b met een snelheid van 5 kilometer per uur en Jan van b naar a in 4 kilometer per uur. Waar komen ze elkaar tegen?

1957

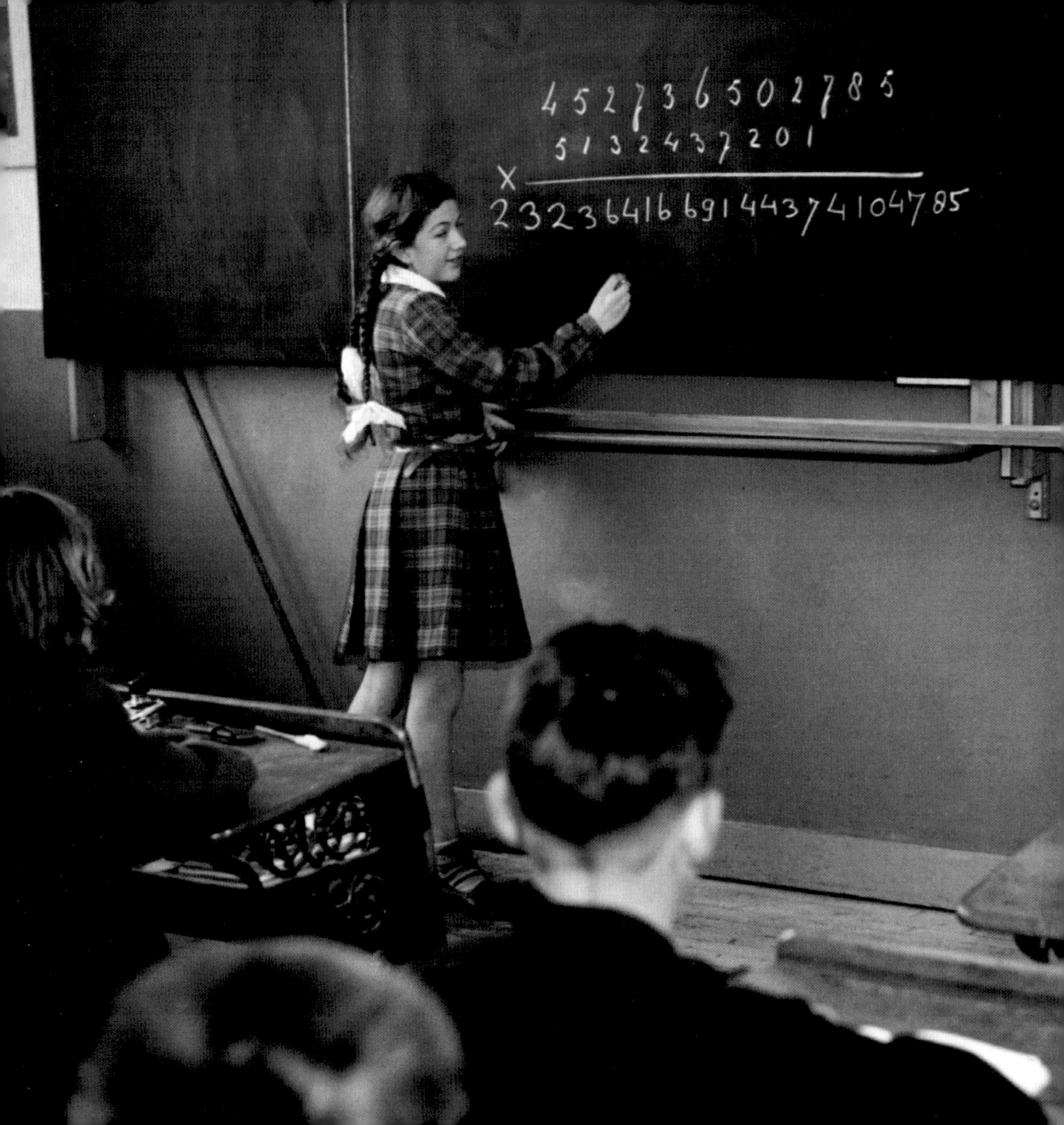
452736502785
5132437201
×
2323641669144374104785

Aardrijkskunde

Gek, dat iedereen nog het rijtje Groningen kent.

Met de stok waar de meester ook de hoge ramen mee openmaakte, werd de grote kaart voor het bord gehangen. Je hoopte dat jij deze keer de kaart mocht uitrollen.

De meester wees aan en jij dreunde de plaatsen op. Soms met de diepen erbij: Winschoten – Winschoterdiep, Veendam en Wildervank – Westerdiep, Stadskanaal – Stadskanaal of de producten: Gouda – kaarsen, Leerdam – glas.

'En,' zei de meester, 'dan nu tijd voor de blinde kaart.'

Lange tijd was dit de aardrijkskundeles. Maar die wordt breder, je leert ook hoe ze in andere landen leven en bij topografie gaat het niet meer zozeer om parate kennis.

Een leraar uit de jaren zeventig zegt: 'Het kan mij niets schelen als onze leerlingen op een blinde kaart Amersfoort niet precies kunnen aanwijzen. Of Vlissingen of Zaandam. Maar als ze de trein naar een van die plaatsen moeten nemen, dan weten ze heel goed de route, vertrektijden en overstapplaatsen in het spoorboekje te vinden.'

De school op de foto heeft maar één leerling. Spekholzerheide, 1953.

1960

Aardrijkskunde in de jaren zeventig.

schooltuintje

De rest van de klas
in een slordige rij
loopt paadjes te trappen
met meester Verkleij
maar kijk, hun gezichten
staan allerminst blij.
Het is woensdagmiddag,
ik ben lekker vrij
en slenter de polder in:
die is van mij.
En ik hou niet van peentjes,
dat komt er nog bij.

Amsterdamse schooltuin in de jaren vijftig.

Kennis der natuur

Van het aanschouwelijk onderwijs – niet alleen vertellen over, maar ook laten zien – werd vooral dankbaar gebruik gemaakt bij het vak Kennis der natuur. De schooltuinen in de jaren vijftig bestonden niet alleen uit een tuintje om te bewerken. Zo waren er bij de Haagse schooltuinen een dierenwei en een bijenkast.

Bijna zesduizend kinderen in Den Haag hadden een schooltuin:
'De Haagse schooltuinen zijn een voorbeeld van modern aanschouwelijk onderwijs. Midden in de stad maakt het kind kennis met de geheimen van de natuur. Wij kunnen niet anders dan ons erover verheugen dat er in ons land een gemeente is die op zulk een wijze blijk geeft van haar inzicht dat de mens niet alleen kan leven van asfaltwegen en huizencomplexen.'

Wandelen in de natuur, 1957.

'Bollen die door de leerlingen zelf getrokken zijn. De leerlingen krijgen les in het kweken en onderhouden van de bloemen tijdens de bollenles.'

1957

Kun je zingen, zing dan mee!

Ferme jongens, stoere knapen,
Foei! hoe suffend sta je daar!
Zijt ge dan niet welgeschapen?
Zijt ge niet van zessen klaar?

Je kreeg een cijfer voor zingen, maar Joost mag weten waar dat op gebaseerd was. Je zong met de hele klas en de enige aanwijzing die je kreeg, was de stomp van je buurman.

Zingen was een belangrijk vak. Het versterkte de saamhorigheid en bovendien moest je – tenminste als je op een protestantse school zat – psalmen mee kunnen zingen: 'Looft den Heer, want hij is goed. Looft hem met een blij gemoed.'

In de jaren zestig kreeg je zangles met kleine slaginstrumenten erbij: het uit Duitsland overgewaaide instrumentarium van Orff. Je zong canons zoals 'De uil zat in de olmen' of 'Vader Jacob' en bespeelde de xylofoon, de triangel of de tamboerijn.

1966

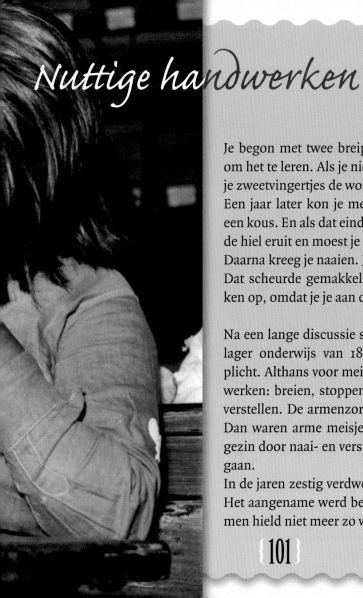

Nuttige handwerken

Je begon met twee breipennen aan een broddellapje om het te leren. Als je niet zo handig was, plakte door je zweetvingertjes de wol aan je naalden.

Een jaar later kon je met vier naalden beginnen aan een kous. En als dat eindelijk was gelukt, knipte de juf de hiel eruit en moest je er een nieuwe inzetten.

Daarna kreeg je naaien. Je maakte kleding van papier. Dat scheurde gemakkelijk en er kwamen bloedvlekken op, omdat je je aan de spelden prikte.

Na een lange discussie stelde de nieuwe wet voor het lager onderwijs van 1878 handwerken alsnog verplicht. Althans voor meisjes en voor de nuttige handwerken: breien, stoppen, mazen, naaien, merken en verstellen. De armenzorg had hierop aangedrongen. Dan waren arme meisjes in ieder geval in staat hun gezin door naai- en verstelwerk goed gekleed te laten gaan.

In de jaren zestig verdwenen de nuttige handwerken. Het aangename werd belangrijker dan het nuttige en men hield niet meer zo van typische meisjesvakken.

Macramé in de jaren zeventig.

Gymnastiek

Al aan het eind van de negentiende eeuw is er sprake van om het vak gymnastiek verplicht te stellen. Of zoals het toen heette: de vrije en ordeoefeningen. De vrije oefeningen waren spieroefeningen en met de ordeoefeningen moesten leerlingen zich op ordelijke wijze opstellen en bewegen – marcheren, front maken, open en sluiten der rijen – in een groep.

Er kwamen wetsvoorstellen die steeds weer werden opgeschort. Gemeentes probeerden eronderuit te komen. De meeste leerlingen droegen klompen 'met welk schoeisel de onderwerpelijke verrigtingen niet zijn uit te voeren.' Bovendien vonden de oefeningen plaats op de speelplaats, die in de winter vaak een modderpoel was. Pas in 1941 werd lichamelijke oefening als verplicht vak ingevoerd. De bezetter twijfelde niet aan het belang van lichaamscultuur. Er verschenen richtlijnen voor de inrichting van gymnastieklokalen en voor leermiddelen, toestellen en spelbenodigdheden. Ook zwemmen werd een onderdeel van de leerstof.

Vrije oefeningen met de stok, 1925.

Zwemles

'Ik durf niet,' fluistert een angstig jongetje als de badmeester beveelt dat hij onder een stok door moet zwemmen. Een scène uit *De stem van het water*, een film van Bert Haanstra (1966). Wie herkent het niet? Jij daar beneden in het water en boven je op de kant die schreeuwende badmeester.

Eerst moest je droogzwemmen, waarbij je op een stoel of krukje lag. Als je de beweging doorhad, werd je in een kraan gehesen en kon je in het water oefenen. Daarna mocht je met kurkjes en plankjes alleen het water in. En als het helemaal misging, kon je er altijd nog met de haak uitgevist worden.

Rotterdamse Sportfondsenbad, 1937.

Marnixbad Amsterdam, 1959.

Zwemles in Het Zwarte Plassie in Hillegersberg (Rotterdam), 1940.

Diploma-uitreiking, 1959.

1961

Met kleren aan

De meisjes hadden het lastig bij het afzwemmen. Je moest een jurk aan en doordat die als een ballon om je heen dreef, kon je bijna geen normale schoolslag meer maken. De eisen voor de diploma's waren in 1960:

- Diploma A 75 meter achter elkaar borstzwemmen. Daarna 50 meter rugzwemmen met de handen in de zij en ten slotte 60 tellen watertrappen.
- Diploma B Zwemmen met kleren aan: 50 meter borst- en 25 meter rugzwemmen. Dan kleren uit, onder de douche, zwempak aan en 7 meter onder water zwemmen. Vervolgens 100 meter borst en 50 meter rug en als laatste een minuut watertrappen met de polsen boven water.

'Het slot van zo'n zwemfestijn is het opvissen van al de schoenen die de meisjes en jongens hebben verloren. Vooral de flatjes van de meisjes schieten gauw van de voeten.'

Verkeersles

Nooit meer reed je zo netjes langs de stoeprand als tijdens je verkeersproef.

In de vijfde of zesde klas kreeg je verkeersles. Na de theorielessen moest je je verkeersexamen doen, ook wel de verkeersproef genoemd, dat uit een theorie- en een praktijkgedeelte bestond.

Het praktijkexamen deed je op de fiets en dat was een serieuze zaak. Eerst controleerde een agent of je remmen in orde waren en of je bel het deed. In de buurt stonden kleine verkeersborden met het onderschift 'verkeersexamen'. Als je je aan de verkeersregels hield – eenrichtingsverkeer en verboden in te rijden – reed je vanzelf de goede route.

Hier en daar stonden controleurs verdekt opgesteld. Die keken of je, als je de hoek omging, wel eerst omkeek en je hand uitstak en of je auto's netjes liet voorgaan. Aan het eind van de dag kreeg je dan je verkeersdiploma en als je alle punten haalde, kreeg je er ook een speldje bij.

Diploma.

Verkeersles op de Amsterdamse verkeersschool, 1940.

Schriftelijk verkeersexamen op de zolder van de Amsterdamse verkeersschool, 1940.

1934

Telefoonles

Een voor een ging je naar het kamertje van het hoofd. Daar stond een groot, zwart toestel. De meisjes moesten bellen naar meester Pietersen van de jongensschool en de jongens naar juf Takens van de meisjesschool. Of dat wel of niet via de centrale liep, hing van je stad af.

Vervolgens werd je zelf gebeld en moest je opnemen.

In de jaren dertig begonnen sommige scholen met telefoonles. De meeste mensen hadden nog geen telefoon en het kwam voor dat meisjes die in een dienstje gingen, begonnen te gillen als bij mevrouw de telefoon rinkelde. Telefoneren hoorde bij je algemene ontwikkeling, vonden sommige scholen, je kon immers ook op een kantoor terechtkomen.

Les in babyverzorging.

Tekenles in Artis, 1958.

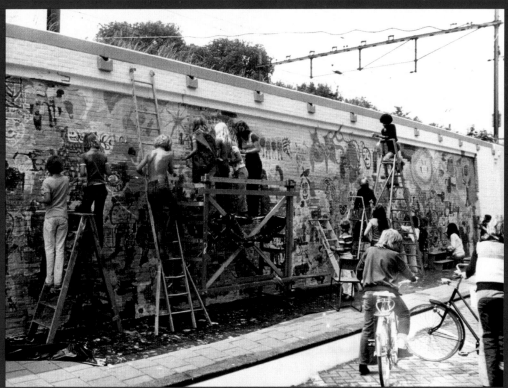

Schoolkinderen maken een muurschildering aan de Spaarndamsespoordijk in Amsterdam, 1975.

Toneel

Hoera! Ik doe mee
met het sprookjestoneel,
ik loop met een puntmuts
en met een houweel.

Martijn is de prins,
met een degen opzij.
Sneeuwwitje is haast
een kop groter dan hij.

Dan heb je de stiefmoeder,
mooi maar gemeen –
dat vind ik nou typisch
een rol voor Heleen.

Mijn bed staat al klaar
in de werkplaats van Krijn.
Hij timmert ze zelfs
voor de dwergen te klein.

En meester Van Harmelen
verft het decor,
met bergen en bomen.
Daar staan wij dan voor.

Nog twee weken wachten,
dan mogen we echt.
Dat is 'de première'
heeft meester gezegd.

Dan zijn we als dwergen
geschminkt en verkleed.
Wel jammer dat ik soms
mijn teksten vergeet.

Maar 't is niet zo erg, hoor,
als ik iets verklooi.
Voor opa en oma
is toch alles mooi.

1961

Bij de paters

De meester die de mooiste verhalen kon vertellen was het populairst. En dat waren de broeders die in de missie hadden gezeten. Zij waren in Afrika geweest en hadden echte tijgers gezien. Ze vertelden over de melaatsen die op een eiland woonden en belletjes moesten dragen en over missionarissen die zelf besmet raakten. Over een jonge neger die bij de missiepost was geweest en daarom, toen hij terugkwam bij zijn familie, werd geslagen. Maar die 's avonds kruipend weer bij de missiepost aankwam om meer te horen over God.
De hele klas wilde de missie in.

Je eerste communie

De enige 10 op je rapport was die voor catechismus. Je kende alle vragen en antwoorden uit je hoofd.

'Waartoe zijn wij op aarde?'
'Wij zijn op aarde om God te dienen en hier en in het hiernamaals gelukkig te worden.'

'Mag en moet iedereen dopen?'
'In tijden van nood mag en moet iedereen dopen.' (Dat je dat een keer mocht doen, dat was je diepste verlangen.)

Het geloof speelde een grote rol in de klas en het hoogtepunt was je eerste communie, want dan hoorde je erbij.
Je oefende in de kerk. De hele klas in een rij en met z'n allen naar voren toe. De pastoor legde de ouwel op je tong: 'Het lichaam van Christus.'
En jij moest dan 'amen' zeggen.

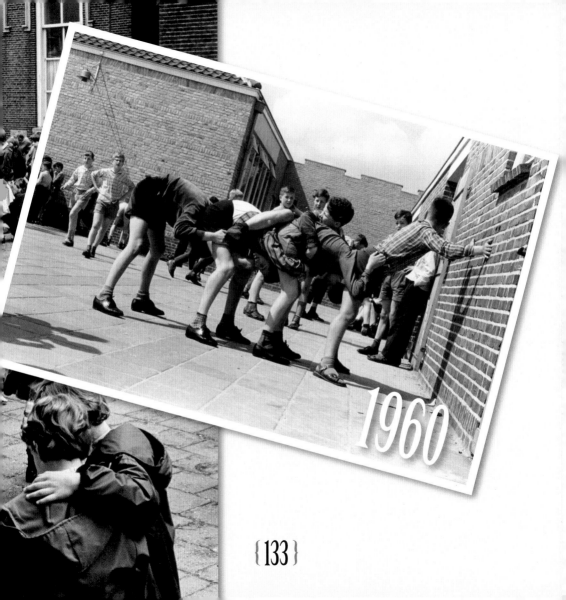

1960

De schoolplaten

De Slag bij Nieuwpoort, de Kruisvaarders voor Jeruzalem, de Overwintering op Nova Zembla en Naar het concentratiekamp. Via de schoolplaten leerde je de wereld kennen.

De bekendste geschiedenisplaten waren van Isings. In totaal maakte hij tussen 1911 en 1970 43 geschiedenisplaten. Bijna de helft ging over de Reformatie, De Nederlandse Opstand en de Gouden Eeuw.

Koekkoek maakte de bekendste platen bij kennis der natuur. In twee series: In ons land – met thema's als In sloot en plas, Roofdieren in de winter, Knaagdieren en Herkauwers – en Buiten ons land, met onder andere In de Siberische vlakte en In de rimboe.

Op de foto een meisjesklas, 1927.

{137}

Ja, jongelui

'Ja, jongelui, daar mogen jullie gerust even stil van worden of een kreet van bewondering bij uiten. Groots en indrukwekkend verheffen de besneeuwde Alpen zich boven het groen der dalen. Een morgenwolkje aarzelt nog voor het zich losmaakt van die witte schoonheid en het opstijgt naar het azuurblauw van de zomerse hemel. Roerloos staan de dennen in het morgenlicht. Stil wordt ook de mens tegenover de majesteit van Gods schepping. Tussen hemelhoge bergen zullen we het volgend half uur vertoeven, want de schoolradio brengt jullie vandaag naar Zwitserland.'

Dit is een fragment van de eerste schoolradio-uitzending van de NCRV in 1953. Er hoorden dia's bij, in dit geval die van besneeuwde bergtoppen.
De KRO, waar de jongens op de foto ongetwijfeld naar luisteren, was al eerder begonnen met schoolradio, in 1948.
Vanaf het midden van de jaren zestig was er schooltelevisie, die op den duur de functie van de schoolradio overnam. Midden jaren tachtig had de KRO zijn laatste uitzending.

1951

'Dinsdagmiddag heeft Nederland zijn eerste
schooltelevisie-uitzending beleefd.
In het eerste programma werd aandacht besteed
aan de Zwitserse stad Basel.' 22 oktober 1963.

In 1981 verkocht de firma IBM de eerste personal computers voor gebruik op school. Een van de eerste computers in de klas in 1984.

Jarig Jetje

Je trakteerde op ulevellen, toffees of koekjes in een zakje of een trommeltje. Of als er geen geld was, trakteerde je helemaal niet.

Theo Thijssen in Schoolland (1925) over een armoedige traktatie:
''t Zag er nogal verfomfaaid en onsmakelijk uit, het zakje; het lag op mijn tafeltje als een stuk achterbuurtwinkeltjes-ellende, en deed mij helemaal niet feestelijk aan. 't Was een chocoladeflikje van afgrijselijke kwaliteit, er zat een soort verfsmaak aan.'

Lange tijd blijft snoep de geliefde traktatie: een langejan, een lolly, een stukje bazooka-kauwgom met een plaatje en later de snoepzakjes.
In de jaren zeventig moest je ineens gezond trakteren. Op school en bij de tandarts hingen de posters – met een knalgroene appel erop – van de campagne 'Snoep verstandig, eet een appel'. Je ging naar school met een zak appels, mandarijnen, doosjes rozijntjes of satéprikkers met stukjes worst, kaas en augurk.

Verjaardag, 1961.

Een jarige juf, 1959.

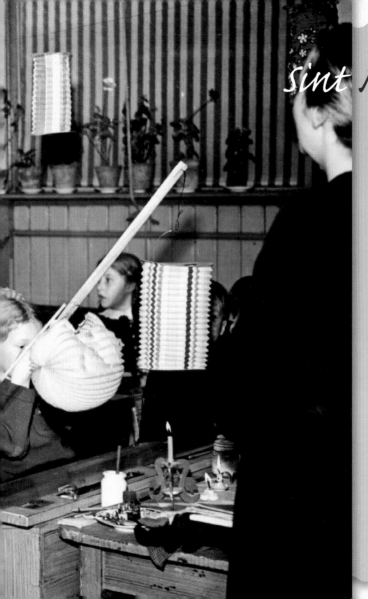

Sint Maarten

11 november 1941
'Daar de Sint-Maarten-
viering in verband met de
verduisteringsvoorschriften
uiteraard niet 's avonds kan
plaatsvinden, wordt het
oude gebruik nu binnens-
huis gevierd.'

Sinterklaas

'Weet jij hoe die pepernoten in je lessenaar zijn gekomen?' vroeg je aan iedereen. 'Nou, ik wel!'

Jij wist als een van de eersten dat ie niet bestond en daar was je erg trots op. Tot de juf je moeder op het matje riep. Of ze ervoor wilde zorgen dat jij je grote mond hield.

In de hogere klassen gonsde het door de school: wie speelde er voor Sinterklaas? Was het een meester, of was het die lange jongen uit de zesde klas? Je liep op het schoolplein expres tegen hem op. Je wilde wel eens horen hoe zijn stem klonk.

De foto is uit 1909:

'Sinterklaas spreekt op aardige wijze de kinderen toe. Toch schijnt hij wel enig kaf onder het koren te ontdekken want hij gaat naar een jongen toe, die hem eerst flink afwacht maar na enige vermaningen en een paar tikjes met de gard van zijn knecht in snikken uitbarst en beterschap belooft.'

Dag Sint...

... welkom kerst.

Haantje op een stokje

Palm, palmpasen
eikoerei
over enen zondag
krijgen wij een ei
een ei is geen ei
twee ei is een half ei
drie ei is een paasei

Als je op een katholieke school zat, vierde je Palmpasen. Je palmpaasstok maakte je op school met een haantje erop en slingers eraan van rozijnen en pinda's. Af en toe nam je stiekem een hapje. Je trok met de klas door de stad terwijl je palmpaasliedjes zong. Daarna bracht je de stok naar bejaarden. Of die er nu echt blij mee waren...

1962

De winnaars van de palmpaasoptocht van de Nutsschool in Zwolle, maart 1959.

'In de Willemstraat is een jubilerende school! Heel de Jordaan was uitgelopen en trots waren de moeders op hun schatten nog eens zoveel als *gewoonlijk*, toen die met 't beste kleertjes aan, stijfgestreken en brandschoon, de feestelijk versierde school binnen gingen!'
70-jarig feest der school van de vereniging Tot Heil des Volks.

Het schoolreisje

Op de foto uit 1912 staan vijfhonderd Amsterdamse schoolkinderen die een dagje uit zijn. In die tijd waren er echt nog geen schoolreisjes, maar deze vakantiedag hadden ze te danken aan een bekend Amsterdams filantroop. Hij organiseerde hem ter ere van zijn zeventigste verjaardag.

'Onder leiding van een aantal onderwijzers en onderwijzeressen vertrokken zij 's morgens vroeg naar Arnhem om daar de gehele dag in de bosrijke omstreek wandelingen te maken. Dat de kinderen opgetogen over zo'n buitenkansje waren, behoeft zeker geen betoog. En hoewel de 70-jarige jeugdvriend niet in de nabijheid was, werd een driewerf hoera voor hem aangeheven.'
De kinderen zien er precies zo als meester Bruis uit 'Ciske de Rat' (Piet Bakker, 1942) zijn leerlingen beschrijft:

'Bij ieder schoolreisje tref je het weer. (...) Ze zien er zo bijzonder uit, zo zondags en zo opgekalefaterd. Zelfs de zieligste armoedzaaiers, die op school op een schoen en een slof komen, zijn door hun moeder netjes gemaakt. Al was het alleen maar omdat hun kuif is gekamd en ze zo kennelijk gewassen zijn. Je zal er bijvoorbeeld nooit een op klompen zien. Ze dragen opzichtig glimmende schoenen, die doorgaans van een ouder broertje zijn geleend of een buurjongen.'

1964

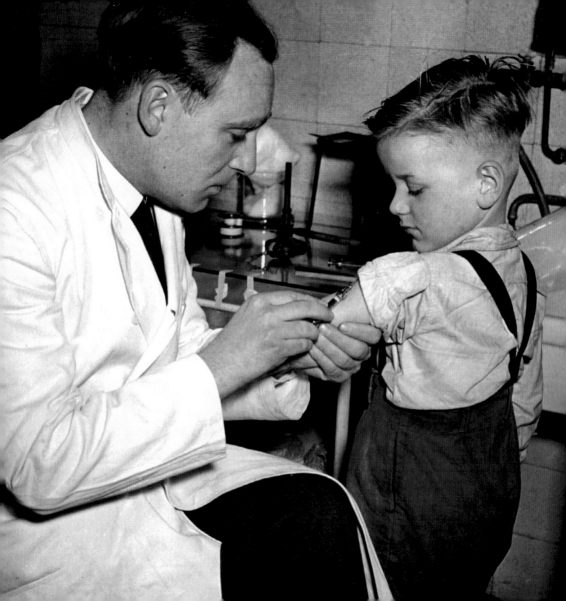

schoolarts

De schoolarts installeerde zich in het kamertje van het hoofd en daar moest je een voor een naar toe. De jongens moesten op hun pols blazen. Waarom? Je had geen idee.

Met een soort kroontjespen kreeg je een krasje op de binnenkant van je onderarm. 'Het is maar een krasje,' zeiden ze, maar het deed gemeen pijn.

In 1904 stelde de gemeente Zaandam de eerste schoolarts aan. Toen nog een bijbaantje van de huisarts. Drie jaar eerder was de leerplicht ingesteld en je kon moeilijk kinderen verplichten naar school te gaan als hun gezondheid daar gevaar liep. En dat deed ze. School was een besmettingshaard van tbc, difterie, roodvonk, schurft en natuurlijk hoofdluis.

In die begintijd had de schoolarts drie controlerende taken:
- de schoolhygiëne: kwam er genoeg licht en lucht binnen?
- de onderwijshygiëne: werden de kinderen niet te veel belast – een zorg die je steeds terug ziet komen –, kregen ze genoeg pauze en niet te veel huiswerk?
- de gezondheid van elk kind: naast het opsporen van besmettelijke ziektes – met het krasje kon tbc ontdekt worden – controleerde hij de ogen, de oren en de houding.

Uit verslagen van schoolartsen van de Liemers en Doesburg blijkt dat daar in de jaren dertig de meest voorkomende kwalen waren: tandbederf, platvoeten, nervositeit, vergrote amandelen en slechte ogen.

Op de foto geeft een schoolarts een inenting tegen tbc, 1949.

{165}

Ogenonderzoek.

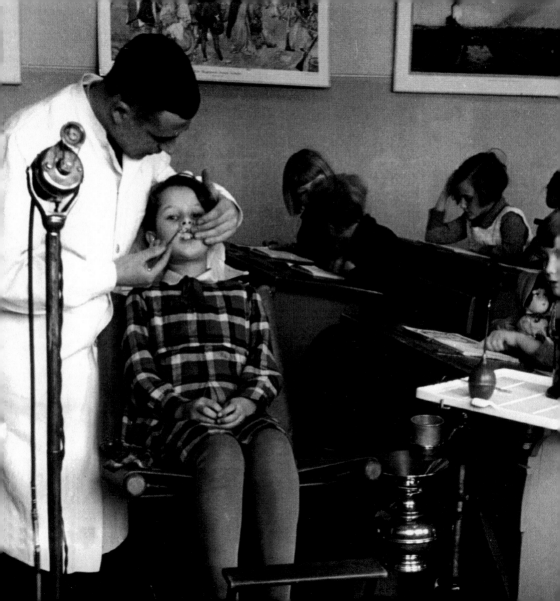

schooltandarts

Als het witte busje het schoolplein op reed, begon je onrustig met je stoel te schuiven. Wat een geluk als jij er niet in hoefde, omdat jouw familie naar een gewone tandarts ging. Maar helemaal gerust was je er niet op en je haalde opgelucht adem als jouw naam niet was genoemd.

Nooit vergat je dat ene meisje dat zo bang was dat ze gewoon van het plein afrende. Of de jongen die zo tegenstribbelde dat de boor uitschoot in zijn wang.

Nog erger was de tijd dat er nog geen wit busje was. Toen zat je voor de klas, met je mond open.

De schooltandarts – zoals Wim Sonneveld over zijn vader zaliger zegt in 'De jongens' – 'legde heus niet zijn oor op je zieltje te luisteren.'

In de jaren dertig kreeg je de eerste schooltandartsen. De schoolartsen hadden al geconstateerd dat het met de gebitten van de kinderen schrikwekkend gesteld was. Slechts een derde had een gaaf gebit of maar één slechte tand of kies. De schooltandartsen controleerden niet alleen de gebitten, maar gaven ook les in tandenpoetsen.

Op de foto op pagina 170/171 krijgt in 1942 een klas uit Slochteren de schooltandarts op bezoek:

'De Nederlandse schooljeugd wordt aan de tand gevoeld. Terwijl de dokter een patiëntje helpt, houdt de zuster de wachtende kinderen aangenaam en afleidend bezig.'

Schooltandarts, 1935.

1963

schoolmelk

Als het kratje met de flesjes schoolmelk in de klas werd gezet – bij de kachel want koude melk was niet gezond, zeiden ze – ging het maar om één ding: zat er een gekleurde capsule bij? Zo ja, dan was er grote opwinding in de klas. Wie zou die krijgen?

Met die capsule kon je veel: je deed hem om je duim en liet hem onder je arm verdwijnen, je maakte hem vast aan de spaken van je fiets of – als je op een katholieke school zat – spaarde ze voor de missie.

In 1935 begon Rotterdam als eerste gemeente in de ochtendpauze met schoolmelk. En met succes: de kinderen groeiden beter, waren minder vaak ziek en konden zich beter concentreren. In 1937 werd het Centraal Schoolmelk Comité opgericht: dat zorgde voor een goede organisatie van de schoolmelkvoorziening.

In de jaren zestig zien bezorgde ouders de schoolmelk weer verdwijnen. Ze schrijven ingezonden stukken:

'En wat doet de minister? Hij besluit om met ingang van 1964 de subsidie voor de schoolmelk uit zijn kasboek te schrappen.'

En: 'In andere landen kent men schoolmaaltijden, maar hier wordt zelfs de schoolmelkvoorziening steeds meer opgedoekt, want in onderwijskringen vindt men dat zo'n gedoe en het nut hiervan of van de proteïnebiscuits wordt betwijfeld. Als er nu nog ondervoeding voorkomt, is dat de schuld van de ouders, zegt men. Maar wie de werkelijkheid ziet, denkt er heel anders over. De kinderen gaan natuurlijk voor en hebben de eerste rechten. Maar hoe zit dat als je met hard werken in een gezin met zeven jonge kinderen twee liter melk per dag kunt nemen of in een gezin met dertien kinderen drie liter per dag?'

1940

Bleekneusjes

Licht, lucht, zon, eenvoudig voedsel, reinheid van het lichaam en een goede afwisseling tussen spel, arbeid en rust: dit hadden kinderen nodig. Door de slechte woonomstandigheden en de volgepakte scholen was de gezondheid van schoolkinderen in de grote steden niet best.

'Bleekneusjes uit de grote steden ... wat wordt er al niet voor ze gedaan. Vakantiekolonies, dagjes naar buiten, zomeruitstapjes – het zijn zoveel middelen om de kleur weer op hun wangen te krijgen, om naast een beetje levensgenot ook wat gezondheid te brengen aan de kinderen uit volksbuurten, kinderen uit de burgerklasse eveneens, die of in nauwe straatjes en stegen, of op bovenhuizen de frisse lucht en zon moeten ontberen.' Het succes werd gemeten in hoeveel kilo's je aankwam.

Die uitzendingen zijn verdwenen, maar ook nu kunnen kinderen in vakantietijd aan hun gezondheid werken. Niet om kilo's erbij te krijgen. Je moet komen 'als je net als je nieuwe kampvriendjes gewicht wil kwijtraken.'

'De geregelde uitzending van kinderen naar de vakantiekindertehuizen, welke gedurende enige weken moest worden gestaakt, is thans weer hervat. Duizenden kinderen konden weer van een driedaags vakantiekinderfeest genieten. De machinist wordt door de enthousiaste reizigers een ovatie gebracht.'

Katwijk 1927.

Rare nieuwigheid

Nog een stapje verder dan de uitzending gaat de openluchtschool. In een artikel uit 1927 uit 'Het Leven' staat: 'Straks zitten ze weer in de volgepakte scholen in de steden. Daarom is er een drang, steeds groeiend, naar de openluchtscholen. Voor een tiende deel onzer stadskinderen is een verblijf nodig, althans zeer wenselijk. En voor een ander deel zou zo'n verblijf uiterst voordelig zijn. Toch zijn de openluchtscholen nog altijd maar veel te weinig bekend. Weer zo'n rare nieuwigheid!! wordt zo heel gauw gezegd. En inderdaad, een nieuwigheid is het, want in heel ons land bestaan er maar drie of vier.

Dit is de Leidsche, die met medewerking van de Gemeentelijke Geneeskundige Dienst en van de Vereniging tot bestrijding der tuberculose gesticht is. Reeds na acht maanden was een verbetering in de toestand van de kinderen te merken, de toename in gewicht varieerde van 8-26% en ook de lengte nam toe.'

Openluchtschool
Den Haag, 1947.

Openluchtschool Herfte, 1938. Binnen wordt gegeten, maar eerst de klompen en schoenen uit.

Openluchtschool Den Haag, 1935.

De meester is ziek, maar de klas krijgt toch les van hem via de radiogeluidsinstallatie, 1952.

Deze school in Mill
(Noord-Brabant)
heeft maar één meester, 1950.

De aap-noot-miesexpresse

De school in Anna Paulowna wordt verbouwd. De vijfde klas zit zolang in de wachtkamer van het station.

'De naar onderricht dorstende schare wordt langzamerhand immuun voor iedere soort lawaai, hetgeen hun concentratievermogen ten goede kan komen. Dagelijks wordt zeven keer gesist, gestampt, gepuft, gepiept en gefloten.'

1951

Toen was overblijven nog niet gewoon.

Straf

Kijk – het is eigenlijk Japie z'n schuld, pa,
die had die muis in een doosje gedaan.
Toen ik hem eventjes wilde bekijken
kwam uitgerekend de juffrouw eraan.

Kon ik het weten dat die zou gaan gillen?
Voor ik het wist stond ik al op de gang.
Voor ik het wist had ik vijfhonderd regels.
Vijfhonderd, pa, dat is hartstikke lang.

Toen heb ik nog me excuse geboden.
Wat was ik blij dat de deur openging!
En, pa, omdat het de zoveelste keer was
wou ik nog even je handtekening.

1958

De nieuwe Okki is er, 1969.

Kinderpostzegels

Je wilde minstens twee enveloppen halen, maar in een topjaar had je er soms wel drie. Al weken van tevoren vroeg je aan buren, kennissen en familie of ze bij jou kinderpostzegels wilden kopen.

Een aantal weken later mocht je dan je bestelling gaan afleveren. Met een dikke envelop (of drie) vol geld – dat vond je moeder maar niets – liep je over straat.

Postzegels met een toeslag voor het misdeelde kind: de eerste kinderpostzegels werden in 1924 door vrijwilligers verkocht. In 1948 kwam een onderwijzer uit Waarder op het idee – en dat bleek een gouden greep – om zijn leerlingen ermee langs de deuren te sturen.

De postzegelactie op de foto is van 1960. Op de postzegels uit dat jaar stonden meisjes in klederdracht: Volendam, Bunschoten, Hindeloopen en Huizen.

'Kijk,' zegt de juffrouw, 'ik zal jullie het even goed uitleggen. Jullie krijgen allemaal een lege envelop, aan de ene kant staan de postzegels en de kaarten afgebeeld en aan de andere kant schrijf je de namen en adressen op van de mensen die iets bij je besteld hebben.'

'Eindelijk was het tijd.
Zo vlug ze konden renden
ze de school uit, zwaai-
end met hun enveloppen.
Ze zouden eens laten zien
wat ze konden.'

staken

In 1970 is het onrustig in het onderwijs. De Kabouters en de Dolle Mina's vinden de klassen te vol en verzamelen handtekeningen. Daarna trekken ze naar Den Haag om te vragen wat er met de 800.000 handtekeningen gebeurd is.

'Waar zijn die handtekeningen? We willen ze terug!' schreeuwen de Kabouters op het Binnenhof. 'Of zijn ze door de ratten opgevreten? De leerlingenschaal wordt verlaagd van 39 naar 38 leerlingen per klas, ha ha.'

Op 12 mei 1970 gaan 42.000 kinderen niet naar school uit protest tegen de 'wantoestanden' in het onderwijs. Die dag geven Kabouters en Dolle Mina's les in buurthuizen.

'In Amsterdam wordt vandaag een schoolstaking gehouden voor kleuter- en basisonderwijs. In buurthuis De Banne konden de stakende scholieren schilderen en tekenen en later werd met de werkstukken een demonstratieve optocht gehouden.' Mei 1970.

De ouders rukken op

Wat is de rol van ouders in het onderwijs? In de jaren zeventig barst er een discussie los. Oudercommissies worden opgericht, hulpouders de school binnengehaald en er wordt zelfs een nationale ouderavond georganiseerd.

'De school is niet langer een eilandje waar alleen de leerkrachten het voor het zeggen hebben,' zegt het hoofd van een school in 1973. 'We onderhouden intensieve contacten met de ouders. We laten de ouders weten wat voor taalboekjes we gebuiken en wat onze aardrijkskundemethode is. De school mag geen geheimen hebben voor de ouders, anders krijg je twee partijen net als vroeger. Verder staat de school open voor de buitenwereld. Er komen vaak moeders binnenwippen; de een verzorgt de planten, een paar anderen geven balletles, een vader verzorgt het stencilwerk.'

In 1972 verschijnt bij de VARA de serie 'En een zoen van de juffrouw', waarin allerlei onderwerpen worden aangesneden die ouders tegenkomen in hun contact met de school.

Op de foto de nationale ouderavond van 5 november 1970:
'Door heel Nederland hebben ouders eenzelfde lijst met 20 vragen moeten beantwoorden die betrekking hebben op de inspraak van ouders op de scholen. Ook konden zij op deze manier hun mening geven over hoe het in de toekomst moest gaan worden.'

Een hulpmoeder die verpleegster is, helpt bij de biologieles, 1973.

Een hulpmoeder in de schoolbibliotheek, 1973.

Grote vakantie

Alsof de marathon begint:
de klas is niet meer te bedwingen,
ze staan te duwen en te dringen
en mogen bijna door het lint.

Ja! Ja!! De deur gaat op een kier,
dan wordt de horde losgelaten,
het schoolplein over, door de straten –
een eeuwigdurend speelkwartier.

OPENB. SCHOOL voor GEW. LAG. ONDERWIJS N° 27

30 april 1909: schoolkinderen krijgen vrij omdat kroonprinses Juliana is geboren.

Afscheid van de lagere school: de eindmusical.

Alle foto's uit deze uitgave zijn afkomstig van Spaarnestad Photo te Haarlem. Spaarnestad Photo beheert een collectie van ruim negen miljoen foto-afdrukken, dia's en negatieven. Deze verzameling beslaat hoofdzakelijk pers- en documentaire fotografie van de twintigste eeuw, afkomstig uit de hele wereld. De oorsprong ligt bij de Uitgeverij De Spaarnestad, die in 1964 met de Geïllustreerde Pers is gefuseerd tot de VNU Tijdschriftengroep, nu Sanoma Uitgevers BV.

Spaarnestad Photo levert beeldmateriaal voor alle publicitaire doeleinden. De categorieën lopen uiteen van sport tot koningshuis en van politiek tot film. Het archief is te bereiken op 023-5185150 en verkoop@spaarnestadphoto.nl. In de naastgelegen Galerie 37 Spaarnestad worden tentoonstellingen gehouden, vaak met gebruikmaking van archiefbeelden. Een dagelijks groeiend gedeelte van de verzameling is ook op internet te bekijken en te bestellen op www.spaarnestadphoto.nl.

Fotoverantwoording Spaarnestad Photo

Bronvermelding

Boekholt, P.Th.F.M. en E.P. de Booy, *Geschiedenis van de school in Nederland*. Assen, 1987

Petersen, J.W. van, *De lange schoolweg. Een rondgang door de onderwijsgeschiedenis van De Liemers en Doesburg*. Zutphen, 1984

Thijsen, T., Schoolland. Utrecht/Antwerpen, 1954

Het Nationaal Onderwijsmuseum, Rotterdam en zijn site (www.onderwijsmuseum.nl)

www.kinderpostzegels.nl

Andere Tijden (www.geschiedenis.vpro.nl)

De damesbladen *Beatrijs* en *Libelle*

Het Leven

En iedereen die over zijn schooltijd wilde vertellen, hetzij als leerling, hetzij als leerkracht

Colofon

ISBN 978 90 5594 525 2

© Scriptum Publishers
© Foto's Spaarnestad Fotoarchief Haarlem

Tekst Martine van Rooijen
Gedichten Ben van der Have
Vormgeving Annick Blommaert

Scriptum Publishers
Nieuwe Haven 151
3117 AA Schiedam
010 – 427 10 22
info@scriptum.nl

www.scriptum.nl
www.hollandbooks.nl
www.spaarnestadphoto.nl